…の痴《ち》態《たい》を拾《ひろ》いました。

…ガミ拾《しゅう》遺《い》集《しゅう》「壱《いち》」

あだちとか

神《かみ》も神器《しんき》も人間《にんげん》も、みんなほんのり壊《こわ》れぎみ☆
ご町内神話《ちょうないしんわ》の狭間《はざま》を補遺《ほい》する短編集《たんぺんしゅう》!

デリバリーゴッドの“小芝居《こしばい》に酔《よ》いながらグーで人様《ひとさま》を殴《なぐ》るだけ”の簡単《かんたん》なお仕事《しごと》や、神器達《しんきたち》の福利厚生改善要求団交《ふくりこうせいかいぜんようきゅうだんこう》、某道標《ほうみちしるべ》Pの劣情全開《れつじょうぜんかい》!神7《かみセブン》センター獲得大作戦《かくとくだいさくせん》など、ご町内神話本伝《ちょうないしんわほんでん》に収《おさ》めきれなかった、収《おさ》めなくて別《べつ》に大丈夫《だいじょうぶ》だった小話《こばなし》ども!

好評発売中《こうひょうはつばいちゅう》!!

［ノラガミ拾遺集《しゅういしゅう》弐《に》］付《つ》き………
ノラガミ20巻特装版《かんとくそうばん》も発売中《はつばいちゅう》

全《ぜん》世《せ》界《かい》規《き》模《ぼ》で起《お》こった
集《しゅう》団《だん》自《じ》殺《さつ》騒《そう》動《どう》『悪《あく》夢《む》の1週《しゅう》間《かん》』。
それが、なんてこともなかった
少《しょう》年《ねん》の日《にち》常《じょう》を、壊《こわ》した——
新装版
アライブ
最終進化的少年
We are alive on this planet, and they arrived...
原《げん》作《さく》 河《かわ》島《しま》正《ただし》
作《さく》画《が》 あだちとか
全《ぜん》⑦巻《かん》 好《こう》評《ひょう》発《はつ》売《ばい》中《ちゅう》

ノラガミ
あだちとかの原《げん》点《てん》
あだちとかデビュー作《さく》・
生《せい》と死《し》を見《み》つめる
異《い》能《のう》バトル＆サスペンスが、
各《かっ》巻《かん》収《しゅう》録《ろく》エピソードを増《ぞう》大《だい》、
装《そう》幀《てい》を一《いっ》新《しん》して刊《かん》行《こう》中《ちゅう》!!

編集部では、この作品に対する皆様のご意見・ご感想をお待ちしております。
また「講談社コミックス」にまとめてほしい作品がありましたら、編集部までお知らせください。
〈あて先〉
〒112-8001 東京都文京区音羽2-12-21 講談社
月刊少年マガジン編集部「ノラガミ」KC係
なお、お送りいただいたお手紙・おハガキは、ご記入いただいた個人情報を含めて
著者にお渡しすることがありますので、あらかじめご了解のうえ、お送りください。

作品初出／月刊少年マガジン2019年10月号・11月号・2020年1月号～5月号

装丁／朝倉健司

講談社コミックス　月刊少年マガジン

ノラガミ㉒

2020年 6月17日 第1刷発行（定価は外貼りシールに表示してあります）

著　者　あだちとか

発行者　森田浩章
発行所　株式会社 講談社
〒112-8001 東京都文京区音羽2-12-21
電話番号 編集 (03)5395-3458
販売 (03)5395-3608
業務 (03)5395-3603
印刷所　大日本印刷株式会社
本文製版所　株式会社二葉写真製版
製本所　株式会社フォーネット社

講談社

N.D.C.726　190p　18cm　Printed in Japan　ISBN978-4-06-519753-0

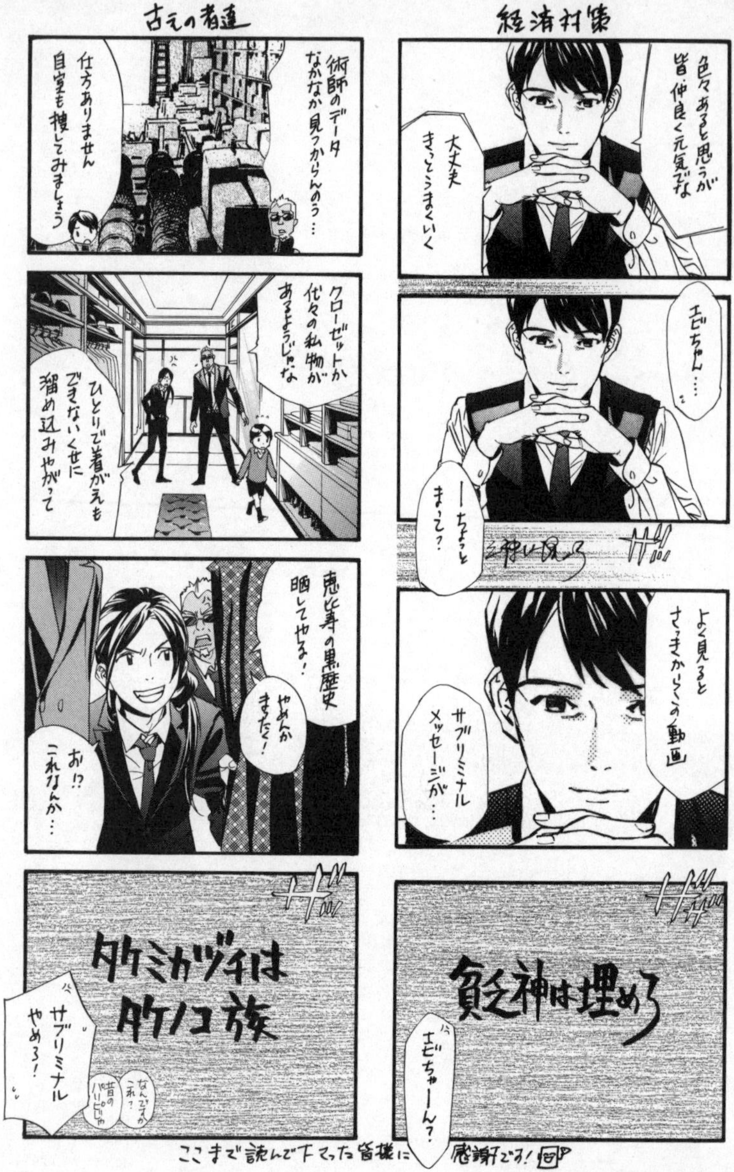
経済対策
色々あると思うが
皆・仲良く元気でな
大丈夫
きっとうまくいく
エビちゃん…
ーちょっと
まって?
よく見ると
さっきからこの動画
サブリミナル
メッセージが…
貧乏神は埋めろ
エビちゃーん?
古えの者達
術師のデータ
なかなか見つからんのう…
仕方ありません
自宅も捜してみましょう
クローゼットか
代々の私物が
あるようじゃな
ひとりで着がえも
できないくせに
溜め込みやがって
恵比寿の黒歴史
晒してやる!
やめんか
まったく!
お!?
これなんか…
タケミカヅチは
タケノコ族
サブリミナル
やめろ!
なんですか
これ?
昔の
パリピじゃ
ここまで読んで下さった皆様に感謝です!

悩みごと
ーーとりあえず
術師の話は置いておいて……
日本経済はどうだ？
幼い恵比寿よ
まさか未だにデフレ脱却していない…
なんて事はないよな？
う……
エビちゃんまだそんな事言ってんの？
世界規模の疫病
蝗害
不景気…
皆飢えてしまうかもしれないのよ!?
おかげで最近肌の調子が良いんだからね!!
豆知識
少子化・水害・地震
問題は山積じゃあ…
キミ どうせキレてムダに雷落としてんでしょ
ピピー
天神だって雷属性だろ!!
ボク学問の神だもん
しれっ
タケミカヅチさんは地震を抑える神でもあるでしょう
地震ナマズちゃんと抑えつけてる？
それはっ…
うおぉぉ!!
ギブギブ
我が君ー ご存知ですか？
がんばれー
ナマズは全身に舌の機能を持ってるんですって
あれ以来ナマズを触るのが苦手なんだ!!
地震が多いわけだ…
それでもがんばって

夜トのワンオペ

ギャア
ギャア
僕が追っ手をまいてくるから 夜トはこの辺で休んでて!
不便でいいから 安全な所へ!!
あ、ありがとう 兆麻…!
この厚意
コミックカフェ
雪音ぇ…
一銭たりとも無駄にはしない!!
はぁ
はぁ
雪音ぇ…
ごめんね あまりのストレスに 散財しちゃった
カラッ
だからこのひとに 財布渡したくなかった んだよなぁ…
大丈夫! ちゃんと 返すアテあるから
兆麻の口座を 担保に融資 してくれる良い人 がいたの
暗証番号も必要 だったから教えといた "毘沙門天"の画数 "9784"だろ?
地獄に仏 だったよー

おまけマンガ

強く大きくたくましく

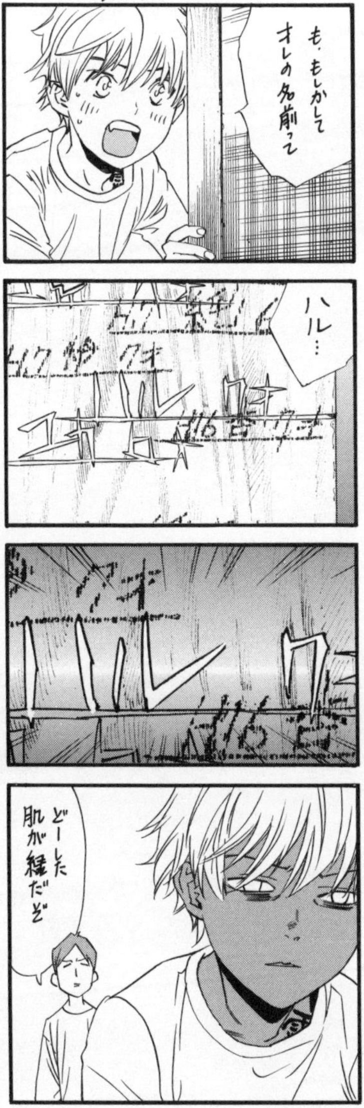

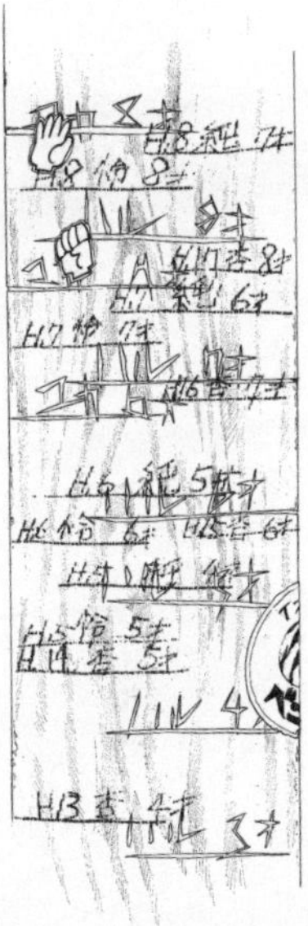

野

[illegible]

神

一緒《いっしょ》に
こんな世界《せかい》ぶっ壊《こわ》してやろう
『ノラガミ』つづく

かわいそうな莠《はぐさ》
帰《かえ》りたかった場所《ばしょ》も
待《ま》っている家族《かぞく》も
はじめからなかったな
だからこそ
飢《う》えている…
オレが それを
与《あた》えてやろう
おまえの
帰《かえ》る場所《ばしょ》は
オレの許《ここ》だけだ

思《おも》い出《だ》したくない！
オンッ
シュルッ
シュルん
オュオーッ
真実《しんじつ》から逃《に》げたか…

莠《はぐさ》？
…どうした
大丈夫《だいじょうぶ》か？
………
なにか思《おも》い出《だ》したのか？
もっ
もういい…！

そうだ 昨日《きのう》
ここに着《つ》いた時《とき》も
そうだった
とても怖《こわ》くて
開《あ》けたくなかった
だって
開《あ》けたら…

ドクン
怖《こわ》い

あの家《いえ》で
幸《しあわ》せに暮《く》らしてたんじゃないのか…!?
ガンッ
ビク…

家《いえ》出《で》!?
行方《ゆくえ》不《ふ》明《めい》!?
病《びょう》気《き》か事《じ》故《こ》だと思《おも》ってた
家《か》族《ぞく》に見《み》送《おく》られる
そういう最《さい》期《ご》じゃなかったのかよ

いなくなって 30年《ねん》かそこらか ……
生《い》きてたら おまえさんと 同《おな》じぐらいだよなぁ
男の肌にうるおいを。
ええ いやぁ 懐《なつ》かしい 急《きゅう》に思《おも》い出《だ》し ました…
名前《なまえ》 なんて いったっけ…
捜しています
忘《わす》れちゃったなぁ…

バカだね！学校《がっこう》とか警察《けいさつ》に言《い》えばよかったのに！
そんな時代《じだい》じゃなかったんですよ
オ……
オレはどうなったの!?
そんな親父《おやじ》じゃ家出《いえで》もするよ！
灰《はい》落《お》とさないでくださいよ
いやオレの勘《かん》だとありゃ家出《いえで》じゃないよ
暗《くら》くなっても帰《かえ》らない我《わ》が子《こ》をほっぽって飲《の》んだくれてたんだろ?
「息子《むすこ》が家出《いえで》した！」って 急《きゅう》にチラシ撒《ま》かれても
嘘《うそ》臭《くさ》いだろ…

髪結《かみゆ》い亭主《ていしゅ》の飲《の》んだくれ男《おとこ》でよく暴《あば》れてたって話《はなし》でね
子供《こども》らが不憫《ふびん》で…
時々《ときどき》おすそ分《わ》けっていって飯《めし》持《も》たせてあげたんだって
それだよそれが田嶋《たじま》さん！
嫁《よめ》さん耐《た》えかねて娘《むすめ》さん連《つ》れて出《で》てっちゃったもんな
そうですね…田嶋君《たじまくん》だけ家《いえ》に残《のこ》ったみたいでしたし
ふぅん…そんなんでも男親《おとこおや》の方《ほう》が好《す》きだったのかね弟《おとうと》さんは
でも…田嶋君《たじまくん》アザ作《つく》ってましたよ
学年《がくねん》は上《うえ》だったけどそのわりに小《ちい》さかったし
僕《ぼく》は親《おや》から関《かか》わるなって言《い》われて遊《あそ》ばなくなっちゃいました

行方《ゆくえ》不明《ふめい》に なっちまって
ええ… 学校《がっこう》でも 家出《いえで》じゃないかって 噂《うわさ》になってましたよ
息子《むすこ》が家出《いえで》した!! って大騒《おおさわ》ぎしてよう ビラ 大量《たいりょう》に 撒《ま》いてたろう あのオヤジ
オレもビラ 作《つく》らされてよ… タダで!
ああ! あたしも 思《おも》い出《だ》した!
そういや昔《むかし》 大家《おおや》が 言《い》ってたよ!
上《うえ》の住人《じゅうにん》に 困《こま》ってるって ……

暗《くら》くなっても遊《あそ》んでて ほら猫《ねこ》おばさんも早《はや》く帰《かえ》れって言《い》ってたでしょう
あたしが？そーだっけ……？
いつも一緒《いっしょ》で仲《なか》のいい姉弟《きょうだい》でしたよ
でもかわいそうにな弟《おとうと》さん…

15人家族《にんかぞく》の
え〜〜っと…
よ 4人家族《にんかぞく》
なんですけど…
じゃあ
田嶋《たじま》さんだ
田嶋《たじま》ぁ?
聞《き》いたことある
ような…
ああ! 僕《ぼく》も
思《おも》い出《だ》しました!
田嶋君達《たじまくんたち》には
よく遊《あそ》んで
もらったなぁ
ほ ほんとに?
その橋《はし》のとこで
近所《きんじょ》の子《こ》と一緒《いっしょ》にね
鴨《かも》にエサあげたり
川《かわ》を挟《はさ》んでボール投《な》げ
したりしましたよ

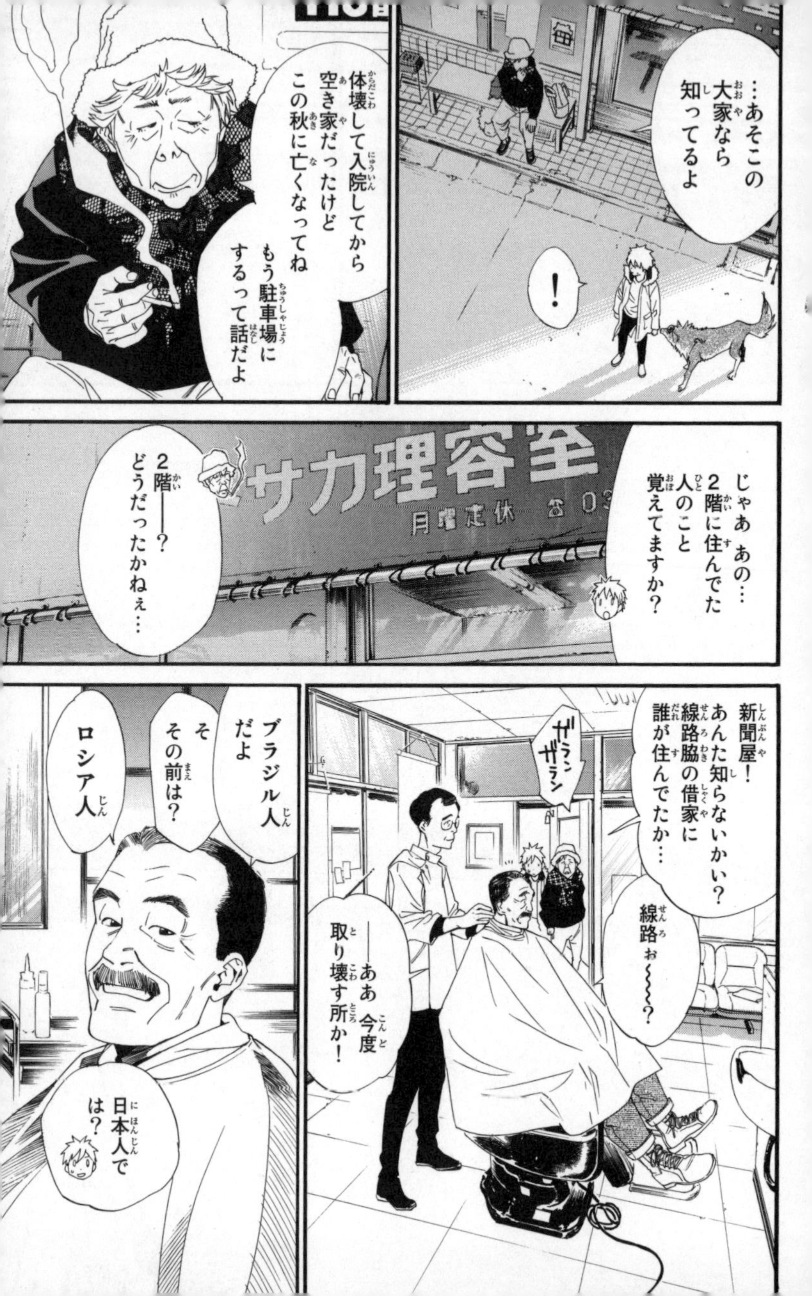
…あそこの大家《おおや》なら知《し》ってるよ
！
体壊《からだこわ》して入院《にゅういん》してから空《あ》き家《や》だったけどこの秋《あき》に亡《な》くなってね
もう駐車場《ちゅうしゃじょう》にするって話《はなし》だよ
じゃあ あの…2階《かい》に住《す》んでた人《ひと》のこと覚《おぼ》えてますか？
サカ理容室
月曜定休
2階《かい》——？どうだったかねぇ…
新聞屋《しんぶんや》！あんた知《し》らないかい？線路脇《せんろわき》の借家《しゃくや》に誰《だれ》が住《す》んでたか…
ガランガラン
線路《せんろ》ぉ〜〜〜？
——ああ 今度《こんど》取《と》り壊《こわ》す所《ところ》か！
ブラジル人《じん》だよ
そ その前《まえ》は？
ロシア人《じん》
日本人《にほんじん》では？

㈲田中
さあねぇ
あのアパート
ずっと空《あ》き家《や》だと思《おも》ってたから…
どーした？
し…
知《し》らないけど…
ごめんなさい
嫁《とつ》いできたばかりで…
こども110番
いえ！
大丈夫《だいじょうぶ》です
ありがとうございました…

彼岸《こっち》では災《わざわ》いもひとの顔《かお》をしているの
だから許《ゆる》せないのよ父《とと》様《さま》は…

あんたは雪音《ゆきね》が土砂崩《どしゃくず》れに遭《あ》って死《し》んだなら許《ゆる》せるの？
タケミカヅチの雷《かみなり》なら…？毘沙門《びしゃもん》のひと薙《な》ぎだったら？
……！
あんたは もう山《やま》や海《うみ》や天《てん》に
ひとの顔《かお》を見《み》たでしょう

それは…どういうこと？雪音君《ゆきねくん》になにかさせる気《き》…⁉
さあ…雪音《ゆきね》がどんな武器《ぶき》になるかは知《し》らないけど
父様《ととさま》は天《てん》への恨《うら》みがずっとあるから
トサッ
どうしてそんなに天《てん》を恨《うら》んでるの？
よくわからない
天《てん》に誰《だれ》かを殺《ころ》されたって聞《き》いた
天《てん》に？…災害《さいがい》に遭《あ》ったってこと？
それ
父様《ととさま》が一番《いちばん》嫌《きら》いな言《い》い方《かた》…

バカよね 禍《まが》津《つ》神《かみ》なのに
あのコ 人《ひと》の方《ほう》が 好《す》きだった
父様《ととさま》も 行《い》き詰《づ》まったの
災《わざわ》いが起《お》こるたび 人《ひと》は文明《ぶんめい》を高《たか》め 信仰《しんこう》を深《ふか》める
結局《けっきょく》 天《てん》の力《ちから》が増《ま》す だけだって
それからは 不和《ふわ》を撒《ま》き散《ち》らして 遊《あそ》んでたけど… つまらなそう だったわ
けど この間《あいだ》の 大逆《たいぎゃく》は久《ひさ》しぶりに 楽《たの》しそうだった…
雪音《ゆきね》を 手《て》に入《い》れた今《いま》
父様《ととさま》も やりたいことが 見《み》えたかしら

禍津神《まがつかみ》の引《ひ》き起《お》こす厄災《やくさい》は妖《あやかし》の比《ひ》じゃないわ
あたしは夜《や》トといくつもの村《むら》や国《くに》を潰《つぶ》した
ずっと そうやって父様《ととさま》に夜《や》トという神《かみ》は祀《まつ》られてきたのよ
でもいつからかしら
夜《や》トが他人《たにん》の死《し》を悲《かな》しむようになったのは…

シャンッ
えっ…!?
ゴッ

って…
村《むら》を襲《おそ》ったな!?
よくも…よくもっ……!
…箸《はし》?
――っ
来《こ》い 螭器《ちき》!
!

あれを何度《なんど》繰《く》り返《かえ》せばわかるんだろうな
いたぞ!
手をかせ!!
拝《おが》んでも無駄《むだ》だと
ザザ ザッ

だから夜ト《やぼく》が生《う》まれたんだろ〜〜〜!?
おまえが本気《ほんき》を出《だ》せば人《ひと》はもちろん 神《かみ》どもも一掃《いっそう》できるだろうに
…でも本当《ほんとう》に人《ひと》がいなくなったら つまんねーしうまいもんも食《く》えねーし…
お社《やしろ》ももらえなくなる…
あんなのバカが拝《おが》むもんだ
見《み》てみろおまえが潰《つぶ》した村《むら》を
あんなことになったのにまだ拝《おが》んでる…

…なあ 父様《ととさま》
いつまで間引《まび》けば
いいの？
どうした
楽《たの》しくないのか？
ザザッ
…わかんない
ザッ
ザザッ
夜卜《やぼく》… 最近《さいきん》
手《て》を抜《ぬ》いてるよな
ちゃんとやれ
…父様《ととさま》がやれば
いいのに
ザッ
やったさ…
神殺《かみごろ》しをな
だが人《ひと》を殺《ころ》さなければ
無意味《むいみ》だと気《き》づいた

おいで！
オンッ
カンカンカンッ
天《てん》が
莠《はぐさ》は気《き》づいていないが
あれはいい器《き》になれる
割《さ》けた
そう躾《しつ》けてやる……

そして泣《な》け
絶望《ぜつぼう》しろ
やり場《ば》のない怒《いか》りを
矛《ほこ》に変《か》え
厄災《やくさい》を
撒《ま》き散《ち》らせ
……
ゾワ…
ギャンッ
お伴《とも》しまス
ヘッ
ヘッ

ギィ…
本当《ほんとう》はダメなんだ 傷《きず》つくことが 多《おお》いから…
でもオレは莠《はぐさ》を信《しん》じてるし 自分《じぶん》のことだ 知《し》りたいだろ？
――うん！ ありがとう 行《い》ってきます！
バタン
自分《じぶん》を知《し》れ

…この ユカってのが 姉《ねえ》ちゃん!?
…ああ
やっぱり!
名字《みょうじ》は!?
こんな瞳《め》をする ガキは いきなり 突《つ》き落《お》とすより
少《すこ》しずつ背中《せなか》を押《お》して 道《みち》を指《さ》し示《しめ》してやる 方《ほう》がいい…
それは自分《じぶん》で 探《さが》してみな?
う〜〜〜! 気《き》になる〜〜〜
あはは
じゃあ その辺《へん》 見《み》てきていい? もしかしたら 知《し》ってる人《ひと》が いるかも!
あんまり 期待《きたい》すんなよ?
ダダダ
…でも なんで こんなに良《よ》くして くれるの?
夜《や》トは なにも 教《おし》えてくれな かったのに…

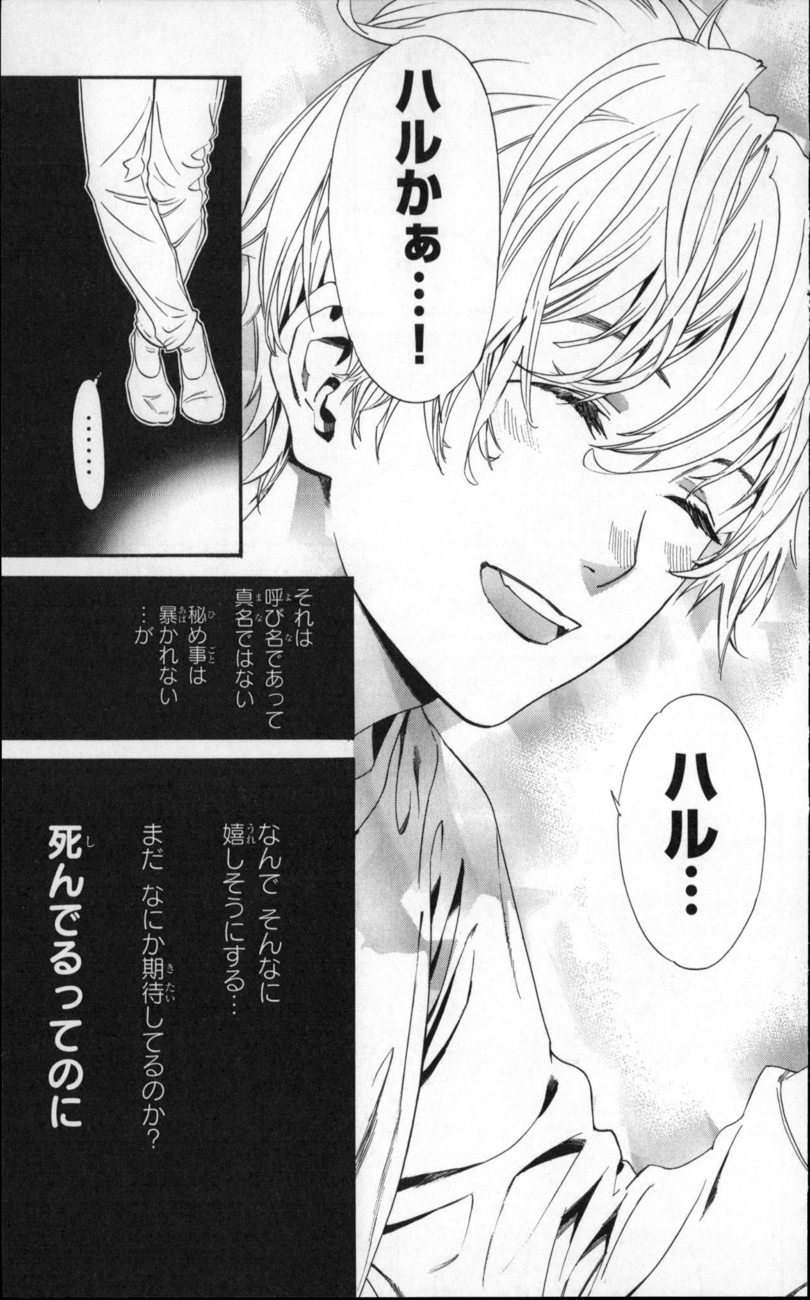
ハルかぁ…！
……
それは
呼《よ》び名《な》であって
真《ま》名《な》ではない
秘《ひ》め事《ごと》は
暴《あば》かれない
…が
ハル…
なんで そんなに
嬉《うれ》しそうにする…
まだ なにか期待《きたい》してるのか？
死《し》んでるってのに

ハル？
そうだよ莠《はぐさ》
わかってる！
オレは莠《はぐさ》だよ！
でも…へへへ

これ…!?
35年《ねん》も前《まえ》ならかなり古《ふる》いはず
そんで男《おとこ》っぽい名前《なまえ》は…
ね…ねえ…
もしかしてオレの名前《なまえ》…

オレの生《い》きてた証《あかし》なんて…ないよね…
…住人《じゅうにん》も入《い》れ替《か》わっただろうし
オレは見《み》つけたぞ? 莠《はくき》の痕跡《こんせき》…
探《さが》してみろ
ガラッ

名《な》づけた時《とき》見《み》えた記憶《きおく》は断片的《だんぺんてき》で
オレも全《すべ》てわかるわけじゃないからな…
曖昧《あいまい》さと鮮明《せんめい》なところが同居《どうきょ》してて正確《せいかく》かどうか
そのうえこれだけ時間《じかん》が経《た》ってるとなると…
!?
…どうやら35年前《ねんまえ》に14歳《さい》で死《し》んでる…
そ そんなに昔《むかし》!?
やっぱり驚《おどろ》いた？
うっ…うん最近《さいきん》 死《し》んだと思《おも》ってたから…

タタン…
ごめんなさい……
なにも思《おも》い出《だ》せないや…
タタン…
せっかくいろんな所《ところ》 案内《あんない》してくれたのにいまひとつピンとこなくて…

向《む》こうの隅《すみ》に莠《はぐさ》の机《つくえ》があって
その隣《となり》に姉《あね》の机《つくえ》
奥《おく》の窓《まど》は当時《とうじ》網戸《あみど》が破《やぶ》れてて開《あ》けてると母親《ははおや》に注意《ちゅうい》された…
カララ…
ゴオ
ガァ
タタン
タタン

おまえの家《いえ》だ
解体工事のお知らせ
危《あや》うく取《と》り壊《こわ》されるところだった間《ま》に合《あ》ってよかったよ〜〜〜
ほ 本当《ほんとう》にオレん家《ち》!?
ああ間違《まちが》いない
ここが莠《はぐき》の終《つい》の住処《すみか》だったよ

大丈夫《だいじょうぶ》か
……?
と 父様《ととさま》…!?
あれ? オレ…
ここに着《つ》いた途端《とたん》
ぶっ倒《たお》れてなぁ
昨日《きのう》は まる一日《いちにち》
歩《ある》き通《どお》しだったし
疲《つか》れたんだろ
ええと
ここは…?
ニコッ

莠
はぐさ

第87話 闇に至る途
やみ いた みち

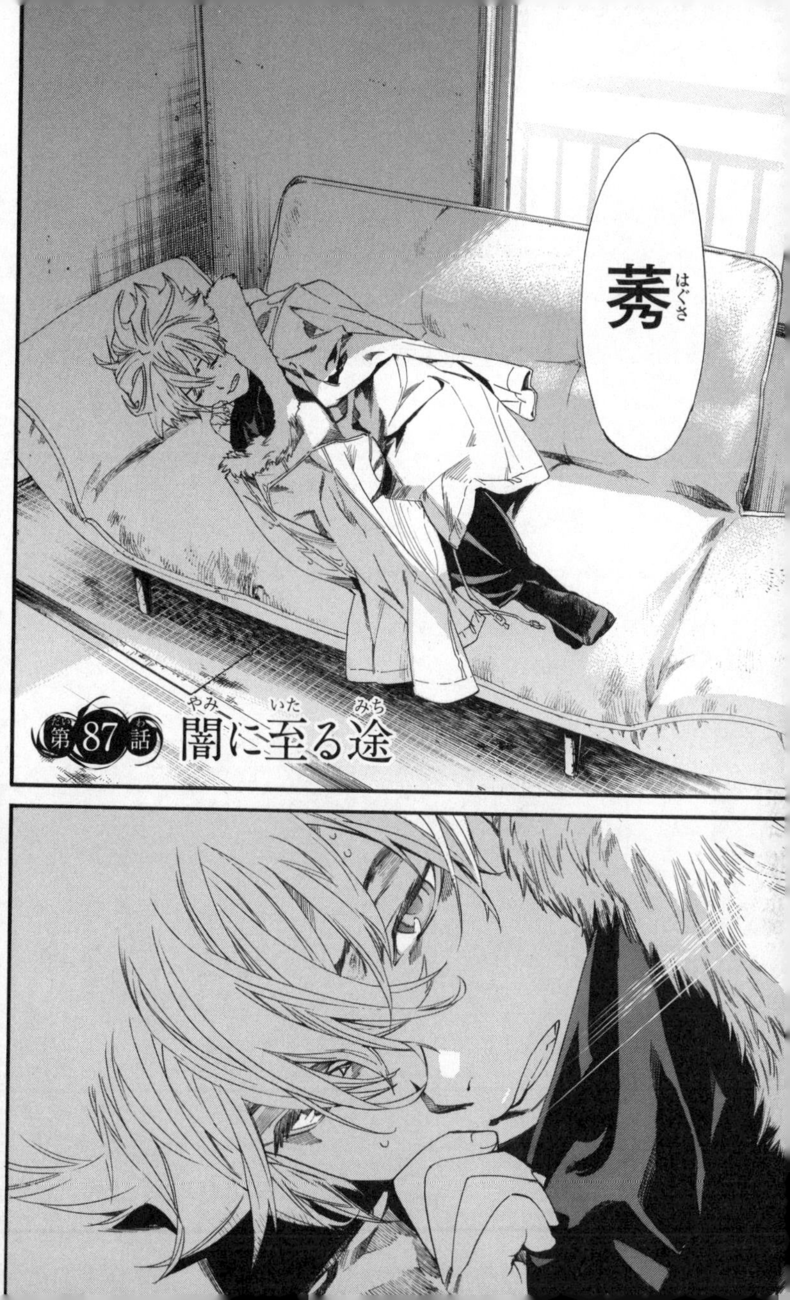

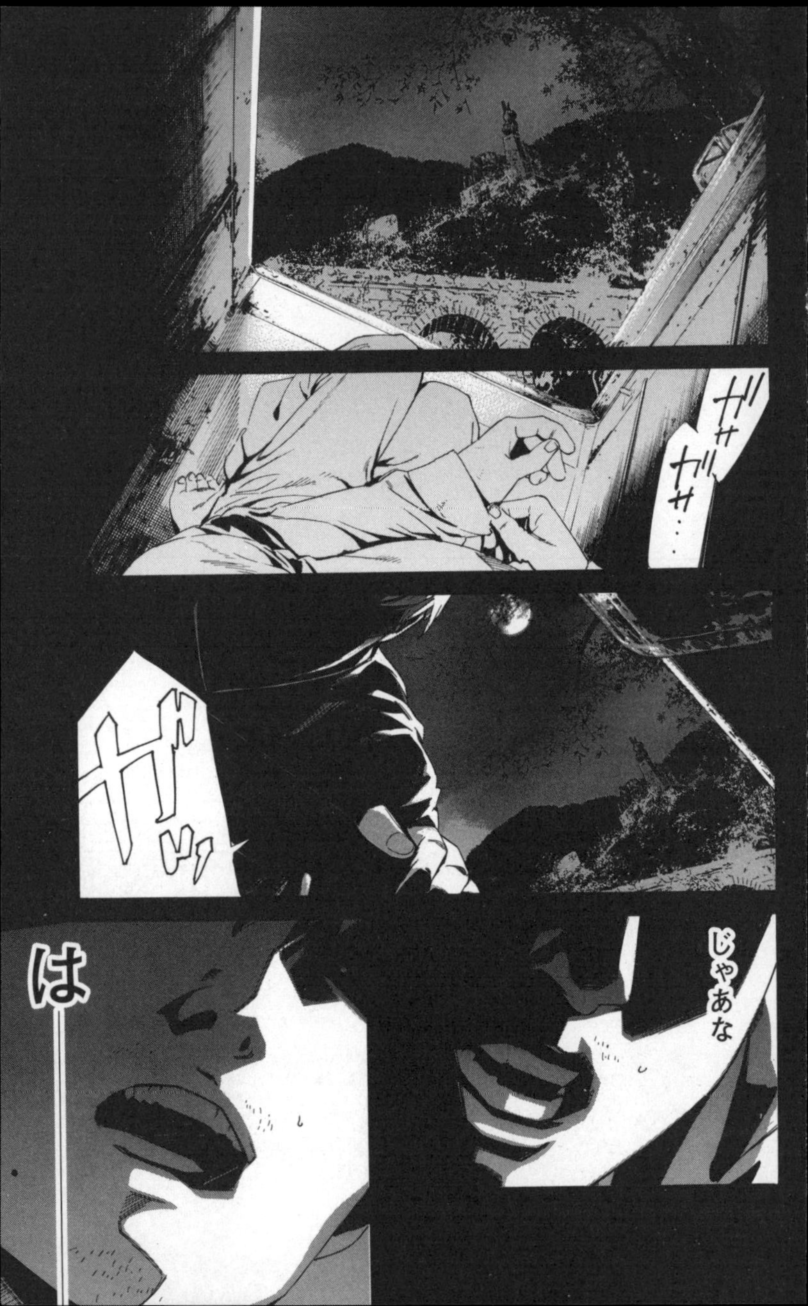
ガサ
ガサ…
ザッ
じゃあな
は

野良神

第《だい》86話《わ》 おわり

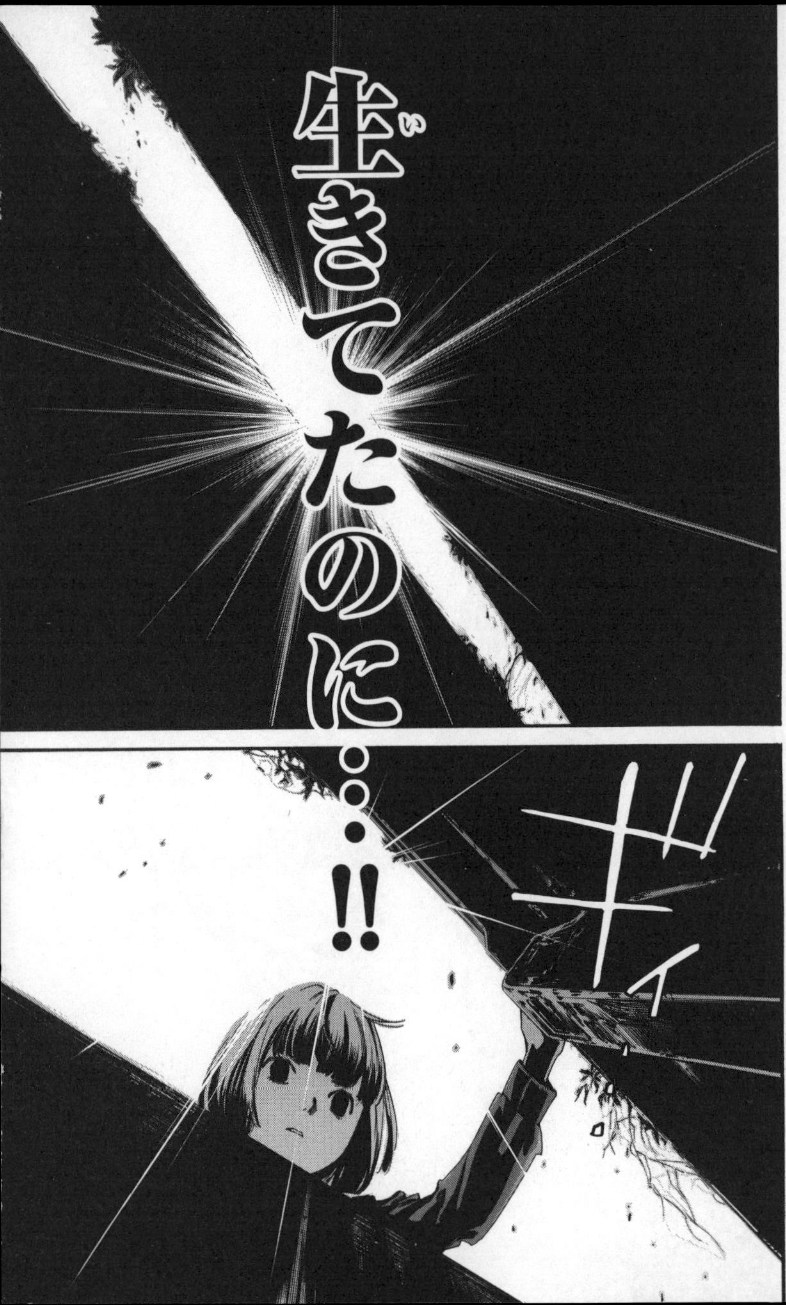
生《い》きてたのに…!!

違《ちが》う!
雪《ゆき》音《ね》君《くん》は闇《やみ》を怖《こわ》がってた
なぜ怖《こわ》いかも憶《おぼ》えてないのにそれだけは全《ぜん》身《しん》で
まだ意《い》識《しき》があった!
生《い》きてた!!

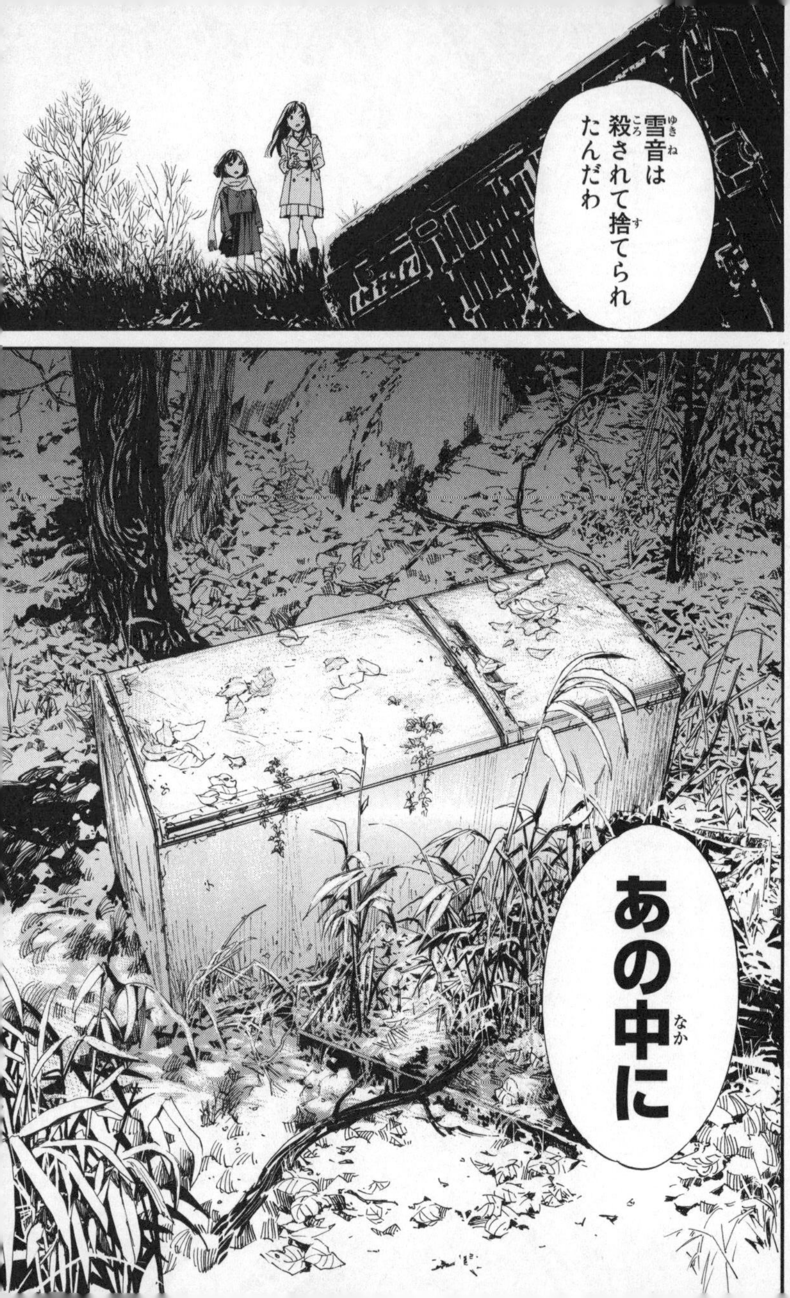
雪音《ゆきね》は殺《ころ》されて捨《す》てられたんだわ
あの中《なか》に

あれは多分《たぶん》冷蔵庫《れいぞうこ》
あたし中《なか》は見《み》てないけど

あたしは時々《ときどき》夜ト《や》をつけてた
あの日《ひ》はとても警戒《けいかい》してるようだったから遠《とお》くから見《み》ていたの
しばらく雪《ゆき》の中《なか》を探《さが》しまわって…
ザクッ
それから
なにか掘《ほ》ってた
ザッ
ザッ

そ　それは…
神器《しんき》が過去《かこ》を思《おも》い出《だ》すことはまずないわ
でも主《あるじ》は知《し》ってるから万一《まんいち》にも過去《かこ》に触《ふ》れるのは怖《こわ》いのね
だから無意識《むいしき》に地縁《ちえん》のある場所《ばしょ》には神器《しんき》を近《ちか》づけたがらないの
それが　比較的《ひかくてき》近年《きんねん》に死《し》んだのならなおさら

ドクン!
あたしが夜《や》トがここに来《く》ると思《おも》ったのは
前《まえ》にも夜《や》トが来《き》たからよ
雪《ゆき》音《ね》を召《め》し上《あ》げた後《あと》に

雪音《ゆきね》君《くん》は 何十年《なんじゅうねん》も たった ひとりで 道《みち》に迷《まよ》って…
雪降《ゆきふ》る中《なか》 あのポストの所《ところ》に いたの…!?
ポスト…?
そう… 冬《ふゆ》でも 山《やま》に帰《かえ》らなかった のね
──まあ 当然《とうぜん》かしら
ここで 怖《こわ》い思《おも》いを したものね

素魂《すだま》は原始的《げんしてき》な形《かたち》
古来《こらい》 人《ひと》の魂《たましい》は季節《きせつ》の節目《ふしめ》に山《やま》から降《お》りてきてまた帰《かえ》っていく
そんな死生観《しせいかん》だったの
今《いま》は…生《う》まれ変《か》わるとか主《しゅ》の許《もと》へ行《い》く無《む》になる——いろんな形《かたち》があるけど
雪音《ゆきね》は
まだ若《わか》くて死生観《しせいかん》が定《さだ》まってなかったからああなった
初《はじ》めは人《ひと》の形《かたち》をして記憶《きおく》こそあるけど
時《とき》が経《た》つにつれ大気《たいき》に溶《と》けて自然《しぜん》の一部《いちぶ》になる
ああなるまで妖《あやかし》に障《さわ》られずにいるのは珍《めずら》しいのよ
あの小《ちい》ささになるには何十年《なんじゅうねん》とかかるだろうから

素魂《すだま》？
死霊《しりょう》と同《おな》じよ時間《じかん》が経《た》つとああなる
時間《じかん》が経《た》つ…？
…なにも知《し》らないのね
死霊《しりょう》にもいろいろな形《かたち》があるの
人《ひと》の形《かたち》をしたものやあんたの家《いえ》にいたあの黒《くろ》いのも同《おな》じよ
この国《くに》は多宗教《たしゅうきょう》だからいろんな思想《しそう》がある
だから人《ひと》それぞれ死後《しご》の形《かたち》が違《ちが》うの
あんたの祖父《そふ》は迎《むか》えに来《き》たかったあんたの祖母《そぼ》は迎《むか》えに来《き》てほしかった
！
だからあの形《かたち》をとったのね

雪《ゆき》音《ね》君《くん》!!
!
野良《のら》 捕《つか》まえて!
ほら そこに…
珍《めずら》しいわね これは素魂《すだま》よ
素《もと》の魂《たましい》と書《か》く
雪音《ゆきね》は 素魂《すだま》だった のね

関係者以外
立入禁止
雪音《ゆきね》といえば ここかと 思《おも》ったのに
夜《や》卜も父様《ととさま》も いない…
遅《おそ》かった かしら
とりあえず 行《い》くわよ
……
こ こんなに 遠出《とおで》になる なんて…!
おみやげ
なにか施設《しせつ》が あったみたいだけど ずいぶん古《ふる》い…
雪音君《ゆきねくん》 こんな所《ところ》に いたの…?
初《はじ》めて会《あ》った場所《ばしょ》は もっと うちの 近所《きんじょ》だったのに
まるで 雪《ゆき》みたいな 姿《すがた》で——…

立入禁止
——あてが外《はず》れたかも
!?
蛇《へび》が動《うご》かない

24タクシー
こんなとこでいいの？
はい ありがとうございました
ひとりで本当《ほんとう》に大丈夫《だいじょうぶ》？君《きみ》ずいぶん具合《ぐあい》悪《わる》そうだけど…
え あの 私《わたし》酔《よ》いやすくて……！
ブロロロ…
ふう…
…ここに夜《や》トが…？

守《まも》ってくれてありがとう
僕《ぼく》・・・

泣《な》きたくなったら この箱《はこ》に ぶちまけろ
私《わたし》は いつも ここにいるから
お話《はな》ししてみたかったなぁ…
ナデ ナデ
苦《くる》しかったでしょうね…
でも もう大丈夫《だいじょうぶ》 心配《しんぱい》しなくていいですよ
道《みち》は変《か》わりましたから

君《きみ》だ
…だが我々《われわれ》は目的《もくてき》のためなら死《し》を厭《いと》うべきではない
幼《おさな》い恵比寿《えびす》よ巌弥《いわみ》の言《い》うことをよく守《まも》り手記《しゅき》の指示《しじ》に従《したが》い面《めん》を駆使《くし》して妖《あやかし》を封《ふう》じろ
術師《じゅつし》ができて我々《われわれ》にできないことなどないのだから
——とはいえ過酷《かこく》な道《みち》だ

――巌弥《いわみ》は無事《ぶじ》だろうか…
正直《しょうじき》あいつのことが一番《いちばん》心配《しんぱい》だ
なによりも大切《たいせつ》に守《まも》ってきた器《き》だから…
代々《だいだい》な…
それから
やはり心配《しんぱい》なのは――…

巌弥《いわみ》でさえ
「見苦《みぐる》しいですねぇ…」
なんて珍《めずら》しく悪《あ》しざまに言《い》うから
笑《わら》ってしまった
―でもあんなふうに汚《きたな》い本音《ほんね》まで言《い》い合《あ》える
友《とも》のような関係《かんけい》は凄《すご》いな…
―ところでみんな元気《げんき》か?
巌弥《いわみ》とはうまくやれているか?
あいつはあまり自分《じぶん》の話《はなし》をしないからな…

友達《ともだち》はできたか？
ここ
何度《なんど》見《み》ても好《す》きだなぁ…
あ――…
ああ すまない この間《あいだ》 変《へん》な ふたり組《ぐみ》に会《あ》ってな
無名《むめい》の神《かみ》と 新参《しんざん》の祝《はふり》だ
巌弥《いわみ》には無駄《むだ》だと 言《い》われたが 黄泉《よみ》に潜《もぐ》るのに 強《つよ》い武器《ぶき》が欲《ほ》しくて ダメ元《もと》で祝《はふり》を 買《か》いに行《い》ったんだ
そうしたら ふたりとも 金《かね》に目《め》がくらんで 互《たが》いを売《う》ろうと してな
オレを売ろうとしたな～!?
そっちこそ転職したそーにしてたくせに～～っ!!
仮《かり》にも主《あるじ》と祝《はふり》だぞ？ 麗《うるわ》しい絆《きずな》があるかと 思《おも》ったが まぁ 酷《ひど》いありさまで

もしや人手《ひとで》欲《ほ》しさに呼《よ》びつけたのか!?
あああ～～～
やっぱ貧乏神《びんぼうがみ》はいらんかった——!!
わからないことがあったら七福神《しちふくじん》に聞け頼《たよ》りになる奴《やつ》らだ
厄介事《やっかいごと》は大国主《おおくにぬし》に頼《たの》め面倒見《めんどうみ》がいいからな
毘沙門《びしゃもん》は武神《ぶしん》でありながら抱《かか》える神器《しんき》は様々《さまざま》でおもしろい勉強《べんきょう》させてもらえ
他《ほか》にも　天神《てんじん》は元々《もともと》人《ひと》であったから神《かみ》としてバランスがいい知恵《ちえ》を借《か》りろ
あとは——…

…というわけでデータを回収《かいしゅう》してきてください！
僕《ぼく》らは術師《じゅつし》のことをよく知《し》りません
戦《たたか》う前《まえ》にまず情報《じょうほう》を集《あつ》めましょう！
1:50/3:2
?
すんっ
おうっ!!
ちょっと…
どこにあの書類《しょるい》ケース…

だが結局《けっきょく》こうして また この箱《はこ》を 掘《ほ》り起《お》こしてしまう のは
どこかで… ……
――やめよう
ガチャン
これは単《たん》なる リスクヘッジだ
黄泉《よみ》へ潜《もぐ》るのは 初《はつ》の試《こころ》みだ 万全《ばんぜん》を期《き》したい
万一《まんいち》のため 面《めん》のデータを バックアップし
第《だい》2倉庫《そうこ》の 書類《しょるい》ケースに 隠《かく》しておいた
!
神器《しんき》はもちろん これは 巌弥《いわみ》にも知《し》らせていない その方《ほう》がデータは安全《あんぜん》 だろう
書庫《しょこ》のデータ全《すべ》てを 私《わたし》ひとりで移行《いこう》 したんだ
褒《ほ》めろ
すごーい! さすが エビちゃん
よし

これは恵比寿《我々》だけの秘密《ひみつ》の箱《はこ》だ
ガチャ
中《なか》を見《み》たか？巌弥《いわみ》へのグチもある
ウソ 仲《なか》良《い》いと思《おも》ってたから意外《いがい》！
うおおぉ!!
まぁ アレとは長《なが》いからな
会話《かいわ》してる…？
読《よ》むと〝面《めん》〟に対《たい》する恐怖《きょうふ》でいっぱいだ
「こわい」「苦《くる》しい」「やめたい」
ほとんどが子供《こども》の字《じ》だ
手記《しゅき》とは真逆《まぎゃく》の泣《な》き事《ごと》ばかり書《か》いている
それが何代《なんだい》にもわたって…
まったくこれを見《み》るとモチベーションが下《さ》がって嫌《いや》になる…
エビちゃん…

——見《み》つかって しまったか…
となると私《わたし》は 代替《だいが》わりを したようだな
黄泉《よみ》に連《つ》れていった 邦弥《くにみ》や截弥《たつみ》や唱弥《うたみ》が 無事《ぶじ》だといいが…
恵比寿《えびす》ぅ この うすらハゲがー!! 悔《くや》しかったらワシより 老《ふ》けてみろボケェ!!
エビちゃーん! あ 画面《がめん》に手《て》 振《ふ》っちゃった
推《お》しあるある じゃあ!
……
なんだ
さて… 君《きみ》がコレを 見《み》つけたということは なにか埋《う》めたい物《もの》や隠《かく》したい 物《もの》があったんだな…
私《わたし》も幼《おさな》い頃《ころ》 この箱《はこ》を 見《み》つけた
どうやら我々《われわれ》は あの場所《ばしょ》に なにか 埋《う》めたがる習性《しゅうせい》が あるらしい

うちの境内《けいだい》の一角《いっかく》に埋《う》められてました
ガチャ
この箱《はこ》に入《はい》ってたUSBを再生《さいせい》したらこの動画《どうが》が…
ガコッ
年代物《ねんだいもの》の箱《はこ》だのう…中身《なかみ》も古《ふる》いもんばっかりじゃ
これって…タイムカプセルってやつじゃない？
恵比寿《えびす》さんの？らしくないねぇ……
まあ見《み》てください…

恵比寿《えびす》!?
先代《せんだい》です
黄泉《よみ》へ行《い》く前《まえ》に録画《ろくが》されたものみたいです
これを…どこで!?

ここは？
昔《むかし》使《つか》っていた書庫《しょこ》です
術師《じゅつし》に関《かん》する記録《きろく》もあったんですけどこの前《まえ》天《あま》つ守《もり》に焚書《ふんしょ》にされました
……
――でボクらを呼《よ》んだのは？
もう失《うしな》われたと思《おも》って諦《あきら》めかけていたんですが…
術師《じゅつし》に関《かん》する貴重《きちょう》なデータを見《み》つけたんです！
カチッ

まさか恵比寿《えびす》の奴《やつ》
もう使《つか》い捨《す》ての器《き》を
見《み》つけたのか…？
はーっ
!?
目《め》がー
目《め》がーー！
あ 失敗《しっぱい》！
わっ 塩《しお》!?
エビちゃん…招《まね》いておいて塩《しお》まくのはないんじゃない？
わざと？
ああああ～
パッパッ
日本《にほん》のためですから
こちらです

恵比寿社
キミらも高天原《たかまがはら》に呼《よ》びつけられたのかい？
見《み》てほしい物《もの》があるんだとか…
「神器《しんき》に見《み》つからずに自社《じしゃ》ビルに来《こ》い」とはのう…
貧乏神《びんぼうがみ》まで招《まね》くとはどうゆうつもりじゃ…！
よし みんな こっちじゃ！
ZZZ
ZZZ

忌中
行《い》くわよ

中学
夜《や》トの所《ところ》へ連《つ》れていくわ
仕度《したく》して

後悔《こうかい》してるのね…
なら 謝《あやま》ろう？
雪音《ゆきね》だって友達《ともだち》のふり して嘘《うそ》ついたのよ！ なんで あたしが
雪音君《ゆきねくん》は 友達《ともだち》のふり なんか できないよ
全部《ぜんぶ》 顔《かお》に 出《で》ちゃう
嘘《うそ》で笑《わら》える ひとじゃないわ
中学校
数学2

それって神《かみ》の秘《ひ》め事《ごと》!?
だ…大丈夫《だいじょうぶ》?
あたしは自分《じぶん》の死因《しいん》ぐらい知《し》ってるそれでも壊《こわ》れなかった稀代《きたい》の神器《しんき》よ
雪音《ゆきね》もそうだと父様《ととさま》は言《い》ってたけどどうかしら…
夜《や》トが兆麻《かずま》を神器《しんき》にしたぐらいで妖《あやかし》になる弱《よわ》い子《こ》よ
ゆ雪音君《ゆきねくん》が妖《あやかし》に…!?
きっと死因《しいん》にも耐《た》えられないわ……

頼《たよ》りにしてるぞ
父様《ととさま》の笑顔《えがお》が見《み》たくてなんでもやった……
嘘《うそ》つきは あたしよ…
仕上《しあ》げに
オレ達《たち》の過去《かこ》を知《し》ってる…?
夜《や》トが雪音《ゆきね》の過去《かこ》を知《し》ってるとほのめかした…

あたしは まだ蟎《みずち》よ
名前《なまえ》は 隠《かく》してるだけ
どういう こと…？
名《な》を隠《かく》す術《じゅつ》… 名伏《なふ》せの呪《じゅ》を 施《ほどこ》したの
気《き》の 遠《とお》くなるような 呪法《じゅほう》よ
頑張《がんば》ってるな そろそろ 一服《いっぷく》しようか み――
父様《ととさま》っ
おっと ごめん ごめん
わざと でしょ
ただ 主《あるじ》が名《な》を呼《よ》べば また肌《はだ》に浮《う》き上《あ》がる
筒《つつみ》と疫《えやみ》は 消《け》さなくてもいいだろ 恵比寿《えびす》とタケミカヅチの 所《ところ》へは怖《こわ》くて 行《い》けなかったと言《い》え
その方《ほう》が自然《しぜん》だし 雪音《ゆきね》も おまえを匿《かくま》う

ずっと そうして たくさんのひとに つくしてきたのね…
じゃなきゃ あんなふうに なるまで 傷《きず》つかない
カッ
あたしが本当《ほんとう》に つくしたのは 父様《ととさま》だけよ…！
でも 螭《みずち》の名前《なまえ》も あんなにあった 他《ほか》の名前《なまえ》も ほとんど消《き》えてる
もう あんな ことは やめたん でしょう…？
だからこそ雪音君《ゆきねくん》を あんなひとの所《ところ》に 置《お》いておきたく ないの！ 野良《のら》 力《ちから》を貸《か》して…

夜《や》トは父様《ととさま》を討《う》つために兆麻《かずま》を神器《しんき》に召《め》し上《あ》げ
それを知《し》った雪音《ゆきね》は父様《ととさま》の許《もと》へ降《くだ》ったわ
今《いま》 夜《や》トと雪音《ゆきね》は敵対《てきたい》してるの
修復《しゅうふく》なんて無理《むり》よ なのに行《い》く気《き》？
緒《お》が切《き》れかかってるんでしょ…？
…ありがと 気《き》にかけてくれて
別《べつ》に あんたなんか――
みんなのこともよ 野良《あなた》がいなきゃ なにもわからなかった…
助《たす》かるわ

ブォォオオ
ブォォオ
…なんなの？
いくら死角《しかく》に棲《す》まう神器《しんき》でもそのカッコじゃいられないでしょ？
あたし 行《い》くなんて言《い》ってないけど
でも寒《さむ》くない？
──寒《さむ》い
ほら
小学校《しょうがっこう》の時《とき》の制服《せいふく》ならピッタリだと思《おも》うの
よかったら使《つか》って
……
…どういうつもりか知《し》らないけどあんたが行《い》ってなにをするの？

——あんたが ここにいろって 言《い》ったんでしょ…
なによ…
お願《ねが》いがあるの
夜《や》トの所《ところ》へ 連《つ》れてって…!
知《し》らない
……
…まあ
夜《や》トが あの後《あと》 行《い》きそうな所《とこ》なら 心《こころ》あたり あるけど…
!
ブクブク

フラッ…
その前《まえ》に…
…野良《のら》
いるんでしょ?
ドシャッ

お母様達《かあさまたち》が泣《な》いてるのを見《み》ちゃうと絶対《ぜったい》帰《かえ》ってこなきゃって思《おも》いました
もっと一緒《いっしょ》にいたいけど…急《いそ》がなきゃいけないの ごめんね おばあ様《さま》
行《い》ってきます
第《だい》86話《わ》 箱《はこ》

忌中
壱岐

野良神

第《だい》85話《わ》 おわり

バーターダーダ…

親父《おやじ》なら雪音《ゆきね》に
なにをする…？
最悪《さいあく》　あいつ
なら——…
ガシガシ
まさか…
ウソだろ⁉　親父《おやじ》…
連《つ》れて行《い》くな！

雪《ゆき》音《ね》――!!
雪《ゆき》音《ね》――!!
他《ほか》に心《こころ》当《あ》たりはないのか夜《や》ト
奴《やっ》が雪《ゆき》音《ね》を連《つ》れて行《い》きそうな場《ば》所《しょ》は…!?

会《あ》えなくなってからでは
遅《おそ》いのよ…

…あら…？
ひよりにも
そんな人《ひと》がいたの？
会《あ》いたかったぁ…
ごめんなさい
こんな時《とき》に…
こんな時《とき》
だからよ…
一番《いちばん》
素《す》直《なお》な気《き》持《も》ちに
なれるわ…
会《あ》いに
行《い》きなさい
待《ま》って
待《ま》って…！

もう みんなと
会《あ》えなく なっちゃうのよ!?
…本当《ほんとう》に そうね…
でも…
一番《いちばん》好《す》きな人《ひと》と 一緒《いっしょ》にいられると 思《おも》うと——
!!

まさか今度《こんど》は窓《まど》から入《はい》ってくるなんて
大胆《だいたん》になったこと…
ごめんなさいね怖《こわ》がって
…怖《こわ》くてあたりまえです…だって もし……んじゃったら
もう なんにもできないのに…

思《おも》い出《だ》したわ …まだ若《わか》かった 頃《ころ》よ
おじいちゃん いつも この窓《まど》の下《した》から あんなふうに見上《みあ》げて いたの
求婚《きゅうこん》しに来《き》た時《とき》も そこで 私《わたし》の名前《なまえ》を 呼《よ》んでくれた
結婚《けっこん》に反対《はんたい》するなら 駆《か》け落《お》ちするって ひいおじいちゃんを 脅《おど》してね
お婿《むこ》さんに なって もらったの

これ ひより！
おじいちゃんに なんてこと する気《き》!?
!?
情《なさ》けないわ 私《わたし》も さっき わかったのよ
このひと あなたの おじいちゃんよ
お迎《むか》えに来《き》て くれたのねぇ…

はあ…
はっ…
ガラッ
おばあ様《さま》!!
ガッ
内用薬
この…

ポチャン

そこにいて

スロッ
ヒュル
あの黒《くろ》いの家《うち》に入《はい》っちゃった!
大変《たいへん》…!!
ちょっと
そこにいて!

あの部屋《へや》は！
やめて———!!
パンッ

あたしがニセモノの女《おんな》の子《こ》だからでしょ!?
なのに なんであんたみたいのが普通《ふつう》に生《う》まれてくるの!?
全然《ぜんぜん》簡単《かんたん》じゃないのに!!
あたしだって あたしだって…
あんたみたいな女《おんな》の子《こ》になりたかった!!

みんな嫌《きら》い!! なにが かわいい娘《むすめ》よ! 一緒《いっしょ》に勉強《べんきょう》しようよ!
他《ほか》の連中《れんちゅう》も都合《つごう》よく使《つか》って あたしは なんなの!?
一生懸命《いっしょうけんめい》頑張《がんば》ったの! 名前《なまえ》も いっぱい もらった…
でも誰《だれ》も あたしを一番《いちばん》にしなかった!!

……
……
怖《こわ》い…
…まったく うんざりするほど バカ正直《しょうじき》ね
チャプ
やっぱり あんたなんか嫌《きら》い…
…でも ウソより ずっといい…
ウソつきが一番《いちばん》 嫌《きら》い…!
バシャ バシャ バシャッ
ゴポ…
きゃあああ

…急《きゅう》に なんの話《はなし》？
ねえ
あたし かわいい？
それとも ブス？
なんなの さっきか――
!!
ガタン
ねえ 答《こた》えて
トプン

なんの用《よう》…？
ここには夜《や》トも雪音《ゆきね》君《くん》もいないよ…
そんなの百《ひゃく》も承知《しょうち》よ
あんたこそなにも知《し》らないの？
あのふたりと家族《かぞく》ごっこしてたじゃない
……
家族《かぞく》ごっこも友達《ともだち》ごっこもごっこ遊《あそ》びだから途中《とちゅう》でやめられるのよね
知《し》ってるわよそのぐらい
ただの子供《こども》じゃないもの
みんなにつき合《あ》ってあげてたの
あたし良《い》い子《こ》だから

ガラッ
野良《のら》ね!?
バチャン
ドキッ

嫌《いや》!!
…この家《いえ》で誰《だれ》か死《し》ぬのね…
ヒソヒソ
バチが当《あ》たったのよ
小娘《こむすめ》が神域《しんいき》に入《い》り浸《びた》ってひっかき回《まわ》すから
ブツブツ
いい気味《きみ》
アレに連《つ》れていかれるといいのに
ヒソヒソ

早《はや》く治《なお》らないかな
早《はや》く元《もと》に戻《もど》って
せめて自分《じぶん》のこと
くらい…
元《もと》に…戻《もど》れる…
のかな？
まさか
ずっと このまま…？
ウソだよね
ウソでしょ？
まさか
まさか…！

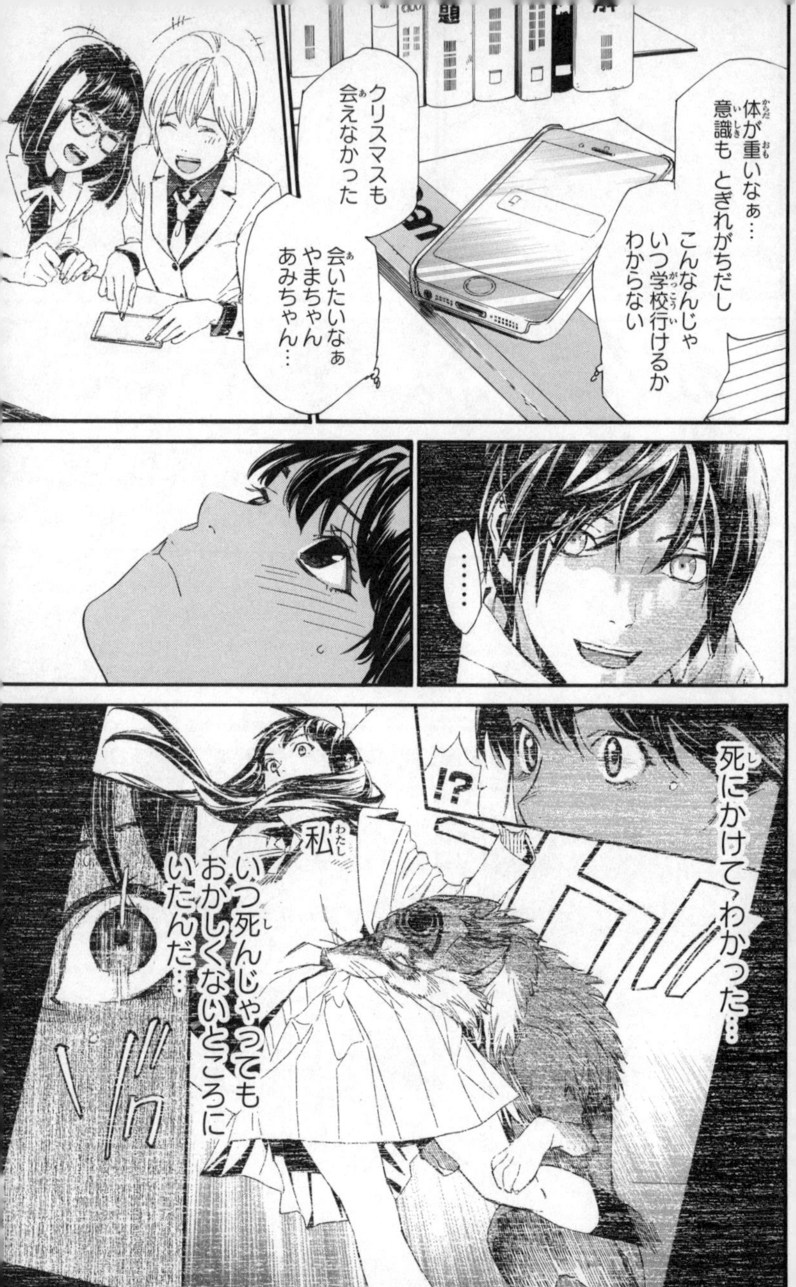
体《からだ》が重《おも》いなぁ… 意識《いしき》も とぎれがちだし
こんなんじゃ いつ学校《がっこう》行けるか わからない
クリスマスも 会《あ》えなかった
会《あ》いたいなぁ やまちゃん あみちゃん…
……
!?
死《し》にかけて わかった…
私《わたし》 いつ死《し》んじゃっても おかしくないところに いたんだ…

ハッ
なっ
また気《き》を失《うしな》ってた!!
もう 突然《とつぜん》こうなるのやめて――!
せめて下《した》ぐらい穿《は》いてからにしてよ…っ
パタン

いーちぬーけた！
ドブン
ブクブク…

ダンッ
みんな勝手《かって》ばっかりして…
どうすればいいのよどこに行《い》けばいいの……!
あたしもわがままするんだからねっ!?

…わかった
ガタッ
ゴトュ
ビリ
ビリ
ビリ

雪音《ゆきね》と戦《たたか》うことになる前《まえ》に一戦《いっせん》交《まじ》えたが…
――強《つよ》い
手《て》加《か》減《げん》なんかできないからな

でも 雪音《ゆきね》に クソほど殴《なぐ》られ てもいいから
あいつは絶対《ぜったい》 取《と》り戻《もど》す…！
兆麻《かずま》 疲《つか》れてるところ 悪《わる》いが 雪音《ゆきね》がいた所《ところ》まで 案内《あんない》してくれない か？
……
杞憂《きゆう》だった みたいだ
夜卜《やと》が 鎮《しず》められない ほど荒《あら》ぶるか 戦意喪失《せんいそうしつ》してしまったら と心配《しんぱい》してたから…
わかってると 思《おも》うけど

殺意《さつい》しかねえよ
オレをつないでおくために
親父《おやじ》はずっと雪音《ゆきね》を欲《ほ》しがってた
あいつは利用《りよう》されてるだけだ
そこまで追《お》い込《こ》んだオレが悪《わる》い

魚《さかな》みたいに水辺《みずべ》にいる…
パシャンッ
……
そ その野良《のら》は見《み》なかったけど…
どうする? 術師《じゅつし》は螭《みずち》と雪音《ゆきね》の二器《き》だ
しかも雪音《ゆきね》を引《ひ》き込《こ》むことで夜《や》卜の戦意《せんい》を削《そ》いでしまっているが…
——戦意《せんい》?

黄泉《よみ》の言《こと》の葉《は》で名《な》づけたんだ…
あの筆《ふで》が妖《あやかし》にも名《な》づけられるという言《こと》の葉《は》か…
でも他《ほか》の妖《あやかし》とは明《あき》らかに違《ちが》った…雪音《ゆきね》は神器《しんき》になるのか？
…緋《ひいろ》と同《おな》じなら…
器《き》にもなるし主《あるじ》を刺《さ》さない
妖《あやかし》のように転化《てんか》もする
て転化《てんか》？
緋《ひいろ》は恥《は》ずかしいから滅多《めった》に人前《ひとまえ》ではならねえけど…

3年後《ねんご》
…何年《なんねん》も刺《さ》さないところを見《み》ると真実《しんじつ》のようだな…
3時間《じかん》ぐらいだけどね
仮眠とれたよ
いっそ刺《さ》し殺《ころ》してほしかった…
じゃあアレだ！ムリヤリ名《な》づけたんだろ!?一番《いちばん》やっちゃいけないやつ！
いや自《みずか》ら降《くだ》った
すわァ
お隠《かく》れにならないでくれよ
気休《きやす》めにもならないと思《おも》うけど雪音《ゆきね》はほとんど妖《あやかし》だった
……
魔《ま》が差《さ》したんだと思《おも》うよ
ピクッ

嘘《うそ》だ!!
この目《め》で確《たし》かに見《み》たんだ!!
ないないないない!!
名《な》は萶《はくさ》! 右肩《みぎかた》に印《しるし》があって…
黙《だま》れ!! メガネ新《しん》調《ちょう》してこい!!
信《しん》じたくないのもわかるけど本当《ほんとう》なんだって!
じゃあ それ オレに誓《ちか》えるんだろーな!?
夜《や》卜神《がみ》に誓《ちか》う!
雪《ゆき》音《ね》は術《じゅつ》師《し》の野《の》良《ら》になった!!

夜《や》ト 大変《たいへん》だ
兆麻《かずま》！ どうした!?
はぁ
はあっ
はあっ はっ
ゆ
雪音《ゆきね》が…
英会話
OPEN
コミック・イン

エイフル
兆麻《かずま》の奴《やつ》どこまで妖《あやかし》を撒《ま》きに行《い》ったんだ？
もう朝《あさ》になっちまったぞ…
……
なぜか急《きゅう》にヤスミが消《き》えた… 雪音《ゆきね》が禊《みそぎ》をしたのか？
でも雪音《ゆきね》は悪《わる》くない
オレが傷《きず》つけたんだから…
夜《や》ト！！

第《だい》85話《わ》 会《あ》いたい

ギャア
ギャア
ヴォッ
ヴォー
……
ポン ポン
…オレの家《いえ》
わかった？
だいたい
家族《かぞく》に会《あ》いに
行《い》くか？

雪音《ゆきね》!?
も もう妖同然《あやかしどうぜん》だったのに名《な》づけたのか!?
じゃあ あれが術師《じゅつし》…
オン?
いい香《かお》り
!
サ…
見《み》てこい
オンッ

莠《はぐさ》

——いいぞ……
人形《ひとがた》を保《たも》ってる
オレは誰《だれ》だ
……
……父様《ととさま》……
おまえは誰《だれ》だ

野

良

神

第《だい》84話《わ》 おわり

名《な》は莠《はぐさ》
ギッ

オレに名前《なまえ》をください
――我《わ》が僕《しもべ》とす
ひとつ名《な》のもと
伏《ふ》せ従《したが》え
人形《ひとかた》となし
留《と》め置《お》かん
器《き》は莠《ゆう》
サッ

螭《みずち》にも言《こと》の葉《は》で名《な》づけたんだ キミならきっと大丈夫《だいじょうぶ》
なんせ キミは特別《とくべつ》な子《こ》だから
まだ間《ま》に合《あ》う？
ほ 本当《ほんとう》に……？
オレにはこれがあるからな
…捨《す》てたりしない…？

わかる…
でも… オレ
もうバケモノだ
禊《みそぎ》をしても
無駄《むだ》だと思《おも》う
だって夜《や》トに
謝《あやま》りたくない
あいつが
憎《にく》い…!!
ククク
禊《みそぎ》なんて
必要《ひつよう》ないさ
パタタ
キミは まだ大丈夫《だいじょうぶ》
よく見《み》ろ
かわいい子供《こども》
じゃないか
…え？

大人《おとな》になりたかった…
…そうだよな
それをオレは叶《かな》えてやれないが…
家《いえ》ぐらいは探《さが》せるはずだ
キミがどうすればいいか
わかるな？

家族《かぞく》と　もっと　一緒《いっしょ》にいたかった…
お父《とう》さんと　いろんな所《ところ》に行《い》って　お母《かあ》さんのご飯《はん》　おなかいっぱい食《た》べて
友達《ともだち》もたくさん作《つく》って　一緒《いっしょ》に遊《あそ》んだり
学校《がっこう》で勉強《べんきょう》して
夢《ゆめ》を見《み》つけて…

嘘《うそ》つけ
もっとやりたいことがあるはずだ
もう我慢《がまん》なんかするな
本当《ほんとう》は
なにがやりたかった…？

オレを遺《のこ》していくのと捨《す》てるのは
なにか違《ちが》うの？
それで…望《のぞ》みはなんだ？
家《いえ》を探《さが》すのを手《て》伝《つだ》ってほしい
帰《かえ》って…
家《か》族《ぞく》に ひと目《め》会《あ》いたい…！

いいのか？
あいつを ほっといて…
いいよ
どうせ 捨《す》てられたんだし
捨《す》てたわけじゃ ないだろう？
あいつは 命綱《いのちづな》を断《た》って自分《じぶん》も 死《し》のうとしてるんだ

ギャア
ギャア
はーっ
はー
はー…

よし！夜《や》トから
だいぶ引《ひ》き離《はな》した…
そろそろ一掃《いっそう》しよう
はぁ
はぁ
これで術師《じゅつし》の
追跡《ついせき》を断《た》てれば
いいが…
ボッ
ボッボッ
バサササ

なんだ
これ？
ギャアッ
ギャァアー！

ごめんね タケミカ リリースすれば よかった…
タツノオトシゴ だから…「タケミカ」にしよう!!
ちっっっちゃくて かわいいー!!
…さては お嫌いですね?
タケミカのお墓
やっぱり 僕《ぼく》ひとりじゃ うまくいかない なぁ
邦弥《くにみ》や巌弥《いわみ》にも 相談《そうだん》できないのが 辛《つら》い
こんな時《とき》 先代《せんだい》なら どうしただろう
ザクザク
恵比寿神《ぼく》 なら…
ガツッ
?

次《つぎ》会《あ》うまでに決《き》めてこい…
タケミカヅチ殿《どの》も使《つか》い捨《す》てをするのは嫌《いや》なんだ
僕《ぼく》も嫌《いや》だなぁ…
失《うしな》うつもりで名前《なまえ》をつけるのは…
?
あ！
誰《だれ》か浮《う》いてる！
タケミカが
死《し》んだ…!!

？
ガシッ
…恵比寿《えびす》は賭《か》け事《ごと》が得意《とくい》だったよな？
ギュルルル
!?
うむ
術師《じゅつし》は あっちだ!
エビちゃーん!!
ひとをルーレットみたいに…
意地悪だなぁ

それって――
ボクらも新《あたら》しい器《き》を見《み》つけてこいってこと？
使《つか》い捨《す》ての器《き》ならば術師《じゅつし》討伐《とうばつ》に使《つか》えよう
それが無理《むり》だというなら戦力《せんりょく》にならぬ祝《はふり》を救《すく》う手立《てだ》てとやらをせいぜい探《さぐ》るがいい…
戦《たたか》う気《き》があるのか否《いな》か
次《つぎ》 会《あ》うまでに決《き》めてこい…
……
…術師《じゅつし》を捜《さが》す方《ほう》はどうします？神器《しんき》なしでは難《むずか》しいですよ

まるで びしゃあの時《とき》と 一緒《いっしょ》じゃない？
もしかして 夜卜《やと》ちゃん
ひとりで 術師《じゅつし》と戦《たたか》う つもりじゃ…
!?
だって様子《ようす》が 変《へん》だったもの
あの誕生日《たんじょうび》 パーティーは お別《わか》れするつもり だったのかも！
いつも 雪音《ゆきね》のこと
ありがとな
そうよ！ 全部《ぜんぶ》 ユッキーを 守《まも》るために やったのよ！
宮様《みやさま》の大祓《おおはらい》から 逃《に》げたんじゃ ないんだわ！
だよねー!!
それだ！ おじさん 信《しん》じてたよ!!
あのクズ 逃《に》げたって 言《い》ってた
ももしそうなら 毘沙門《びしゃもん》さんのように なる前《まえ》に止《と》めないと ……！
…いや
秘密裏《ひみつり》に術師《じゅつし》を 葬《ほうむ》るには もはや それしか手《て》がない やもしれぬ…

あの夜《や》ト君《くん》が
新《あたら》しいコを入《い》れたなんて
本当《ほんとう》かねぇ…？
知《し》らぬわ！
だいたい神器《しんき》は
増《ふ》やそうが
減《へ》らそうが
かまわんだろう
それはそうだけど
雪音君《ゆきねくん》の
場合《ばあい》はねぇ…
子供《こども》の神器《しんき》は
どんなに時《とき》が経《た》とうが
やっぱり子供《こども》なんだよ
大人《おとな》びた子供《こども》にしか
なれない
親《おや》の愛情《あいじょう》に
飢《う》え続《つづ》ける
神《かみ》である夜《や》ト君《くん》に
それを求《もと》めても
仕方《しかた》のないことだけど
雪音君《ゆきねくん》なら 捨《す》てられた
と思《おも》わないかな
…あの子《こ》は
依存《いぞん》してる
あいつ
なんで野良《のら》と
一緒《いっしょ》に!!!
そんな雪音君《ゆきねくん》を置《お》いて
他《ほか》の器《き》を得《え》るなんて
どういうつもりなんだ
夜《や》ト君《くん》は…

そやつは顔《かお》を隠《かく》していたのだ!神器《しんき》も雪器《せっき》ではなく——
弓《ゆみ》だった!
弓《ゆみ》!?
じゃあ夜《や》トちゃんじゃないじゃない…!
なぜ その神《かみ》を夜《や》ト君《くん》だと思《おも》ったんだい?
ゆるふわとジャージ姿《すがた》であったから…
夜《や》ト君《くん》ちゃんじゃん!!
ん?それだけで断定《だんてい》していいんかのう?
ゆるふわジャージは夜《や》トさんのアイデンティティーですからね…間違《まちが》いないでしょう!
似《に》た格好《かっこう》の奴《やつ》では…
アレを真似《まね》するひとはいません!!
おおう…

夜《や》トちゃんに会《あ》ったかもしれない!?
い…いつ!? どこで会《あ》ったのよヅッチー!!
待《ま》て待《ま》て まだ夜《や》ト神《がみ》と決《き》まったわけではない
…どういうことかね？

父様《ととさま》
あたし 言《い》われたとおり 上手《じょうず》に雪音《ゆきね》を送《おく》り出《だ》したよ
どうすればいい？この後《あと》は なにも聞《き》いてない
お願《ねが》いなにか言《い》って
ね
ねえ…
名前《なまえ》 呼《よ》んで…

ギャア
バキ
ギャアッ
ギャア
バキ
ギャア
ギャア
…あたしは？

ギャア
ギャア
「大丈夫《だいじょうぶ》」
ギャアーッ
「こっちへおいで」
「助《たす》けてやるよ」
ほら
!
いっ…
嫌《いや》だ
夜《や》トが
おまえには
近《ちか》づくなって
おいで
夜《や》トは
嘘《うそ》つきだ

——そうだった そうだよな…
我《わ》が子《こ》なら 捨《す》てないもんな
オレは道具《どうぐ》だ
……
バサササ
どこ行《い》くの？
別《べっ》に…
…どこにも行《い》けないよ こんな姿《すがた》で…

一番《いちばん》大事《だいじ》にしてほしいんだよ
オレだけが特別《とくべつ》!!
オレを見《み》て!オレを見《み》て!
な!?なんだ こいつ 黙《だま》れ
オレを見《み》て 見《み》捨《す》てないで
捨《す》てないで
…本当《ほんとう》にガキね
主《あるじ》は父親《ちちおや》じゃないわ
捨《す》てないで

ふうん…
…夜《や》トに捨《す》てられたの?
でも まだ名前《なまえ》があるじゃない
関係《かんけい》ねえよ! だって あいつ 兆麻《かずま》さんを神器《しんき》にしたんだぜ!!
あのひとは――
敵《てき》だ!!
それでも破門《はもん》されてないじゃない
たかだか兄弟《きょうだい》みたいなのが増《ふ》えた程度《ていど》でふて腐《くさ》れて…子供《こども》みたい
そ そんなんじゃねえよ!
そーだよ嫉妬《しっと》のなにが悪《わる》い!!

キィ!
わああ
あ!?
キィッ!?
急《きゅう》に
逃《に》げないで
来《く》るな!
見《み》るなよ!!
本当《ほんと》は
笑《わら》ってんだろ?
オレなんか——
祝《はふり》なのに夜《や》トに
捨《す》てられたんだ!!

雪音《ゆきね》？
雪音《ゆきね》よね
約承り中
24
どうしたの？ その姿《すがた》…

もっともっと悪《わる》さしてあいつを苦《くる》しめてやろうぜ
ジュウウ
ゲホゲホ
ゲホッ!!
裏《うら》切《ぎ》られたんだからさあ…!

どうしよう どこ行《い》こう…
あ…
カラオケ… お金《かね》払《はら》うの 忘《わす》れた…
また やっちゃった 悪《わる》いこと…
戻《もど》らなきゃ ……
冬ギフト
大《だい》丈《じょう》夫《ぶ》だヨ〜〜
……
そうかな…

BIGEPHO
気《き》持《も》ち悪《わる》い……
イライラする……
ギロ
もう どうでもいいや…

どんなにイラついても
大《おお》ゲンカしても
英語 15
バカって言うヤツがバカだバァーカ!!!
バカ+アホ
バーホバーホ
バカがバカ証明してるゥ～
はあ!?
いつ証明した!?
何時何分何秒!?
20時27分15秒～
夜《や》トには どうしても
引《ひ》けなかった一線《いっせん》
あんなことしたら
破門《はもん》されるに
決《き》まってる
なんで
あんなバカなこと
しちゃったんだ
……!!
来《こ》い
暦器《れっき》!

どうしよう
夜卜《や》に一線《いっせん》引《ひ》いちゃった
ザ
あれは妖《あやかし》や他《ほか》の奴《やつ》には簡単《かんたん》にできるのに

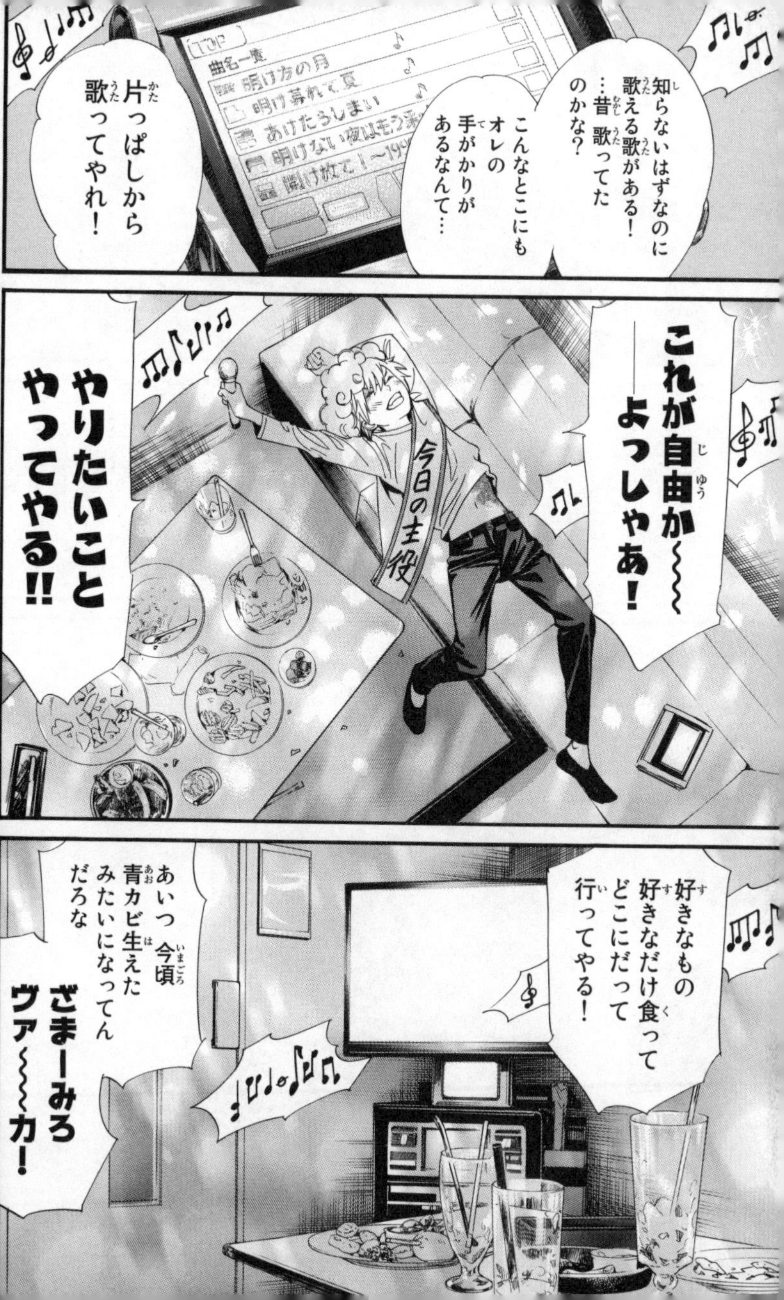
知《し》らないはずなのに歌《うた》える歌《うた》がある！…昔《むかし》歌《うた》ってたのかな？
こんなとこにもオレの手《て》がかりがあるなんて…
TOP
曲名一覧
明け方の月
明け暮れて夏
あけたらしまい
明けない夜はもう来
開け放て！～199
片《かた》っぱしから歌《うた》ってやれ！
これが自由《じゆう》か〜〜〜よっしゃあ！
今日の主役
やりたいことやってやる!!
好《す》きなもの好《す》きなだけ食《く》ってどこにだって行《い》ってやる！
あいつ今頃《いまごろ》青《あお》カビ生《は》えたみたいになってんだろな
ざまーみろヴァ〜〜カー！

カラオケ
BIG EPHO
BIG EPHO
ごゆっくりどうぞ――
ジャラララ
501
あんなに頼《たの》んで金《かね》あんのか？
しかも ひとりでナツメロばっか…
変《へん》な子供《こども》…
日の主役

なにが人《ひと》の名《な》を授《さず》けただ
なにが祝《はふり》の器《うつわ》だ！
オレの本当《ほんとう》の名前《なまえ》は…
雪音《ゆきね》が もう後戻《あともど》りできないほど真実《しんじつ》に取《と》り憑《つ》かれてる
いつの間《ま》にこんなに…
この痛《いた》みは雪音《ゆきね》の苦痛《くつう》
そのくらいのことをしたんだ
捨《す》てたも同然《とうぜん》だ…！

ギャァ
ギャア
暗殺《あんさつ》に失敗《しっぱい》して術師《じゅつし》に追《お》われるはめになったけど
今《いま》は夜《や》トからこいつらを引《ひ》き離《はな》すんだ…！
コミックカフ
インターネッ
24 OPEN
コミック・インターネ
24 OPEN
ットカフェ
24
泣《な》こうが喚《わめ》こうが後《あと》戻《もど》りはできない
僕《ぼく》は諦《あきら》めないぞ夜《や》ト…！

カァ
カァ カァ
ガァ
術師《じゅつし》の手先《てさき》め…
ちゃんとついてこいよ

雪音《ゆきね》を失《うしな》えば気《き》づくだろ
己《おのれ》の愚《おろ》かさに
第《だい》84話《わ》 野良《のら》

夜卜《やぼく》め…
オレを本気《ほんき》で殺《ころ》そうとしやがった
クソガキが…
オレは雪音《ゆきね》じゃねえ!!
なら おまえが捨《す》てたガキはオレがもらってやる
今《いま》すぐ放《はな》て!!
これを消《け》せ――!!

壱岐《いき》ひより

半妖《はんよう》となった女子高生《じょしこうせい》

野良《のら》

不特定多数《ふとくていたすう》の神《かみ》に仕《つか》える神器《しんき》

藤崎浩人《ふじさきこうと》

世《よ》を乱《みだ》す術師《じゅつし》にして夜《や》トの父《ちち》

雪音《ゆきね》

剣《つるぎ》に変化《へんげ》する夜《や》トの神器《しんき》

兆麻《かずま》・暦音《かずね》

毘沙門《びしゃもん》の神器《しんき》だが夜《や》トの許《もと》へ

夜《や》ト

いつもジャージの無名神《マイナーしん》

characters

タケミカヅチ

猛《たけ》き雷《いかづち》を顕《あらわ》す武神《ぶしん》

大国主《おおくにぬし》(大黒天《だいこくてん》)

七福神《しちふくじん》のトップ

天神《てんじん》

学問《がくもん》の神様《かみさま》・菅原道真《すがわらのみちざね》

小福《こふく》

エビスを騙《かた》る貧乏神《びんぼうがみ》

巌弥《いわみ》

恵比寿《えびす》の歴史《れきし》を知る神器《しんき》

恵比寿《えびす》

七福神《しちふくじん》の一柱《ひとり》で商売神《しょうばいにん》の卵《たまご》

ノラガミ
あだちとか